劉福春・李怡 主編

民國文學珍稀文獻集成

第二輯

新詩舊集影印叢編　第56冊

【朱自清卷】

蹤跡

上海：亞東圖書館 1924 年 12 月版

朱自清　著

花木蘭文化事業有限公司

國家圖書館出版品預行編目資料

蹤跡／朱自清　著 -- 初版 -- 新北市：花木蘭文化事業有限公司，
2017〔民 106〕
196 面；19×26 公分
（民國文學珍稀文獻集成・第二輯・新詩舊集影印叢編　第 56 冊）
ISBN 978-986-485-151-5（套書精裝）
831.8　　106013764

ISBN-978-986-485-151-5
9 789864 851515

民國文學珍稀文獻集成・第二輯・新詩舊集影印叢編（51-85 冊）
第 56 冊

蹤跡

著　　者　朱自清
主　　編　劉福春、李怡
企　　劃　首都師範大學中國詩歌研究中心
　　　　　北京師範大學民國歷史文化與文學研究中心
　　　　　（臺灣）政治大學民國歷史文化與文學研究中心
總 編 輯　杜潔祥
副總編輯　楊嘉樂
編　　輯　許郁翎、王筑　美術編輯　陳逸婷
出　　版　花木蘭文化事業有限公司
社　　長　高小娟
聯絡地址　235 新北市中和區中安街七二號十三樓
　　　　　電話：02-2923-1455／傳眞：02-2923-1452
網　　址　http://www.huamulan.tw　信箱　hml 810518@gmail.com
印　　刷　普羅文化出版廣告事業
初　　版　2017 年 9 月
定　　價　第二輯 51-85 冊（精裝）新台幣 88,000 元

踪跡

朱自清 著

朱自清（1898～1948），生於江蘇東海。

亞東圖書館（上海）一九二四年十二月初版。原書三十二開。

蹤跡
朱自清作

這過去的我的三箇月的生命，那裏去了？
沒有了，永遠的走過去了！
我親自聽見他沈沈的緩緩的一步一步的，
在我牀頭走過去了。
我坐起來，拿了一枝筆，在紙上亂點，
想將他按在紙上，留下一些痕跡，——
但是一行也不能寫，
一行也不能寫。
我仍是睡在牀上，
親自聽見他沈沈的緩緩的，一步一步的，
在我牀頭走過去了。

——周作人〈過去的生命〉——

蹤跡目錄

第一輯

踪　跡

目錄

踪　　跡

目錄

第二輯

目錄

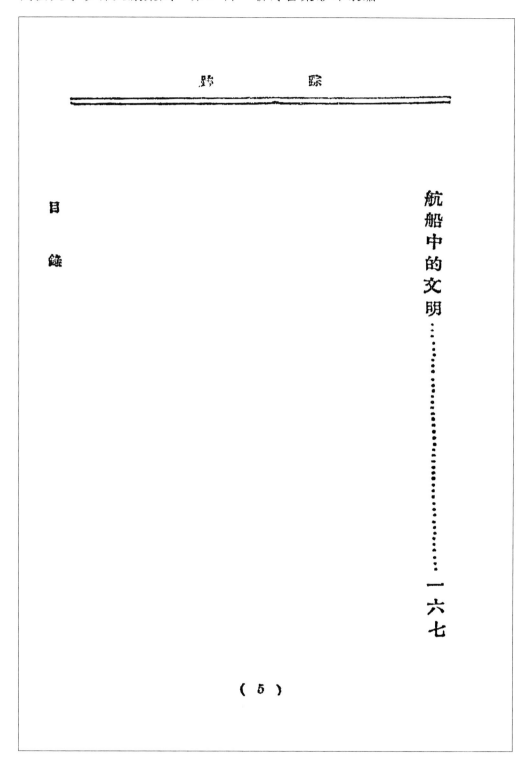

踪跡

目錄

第一輯

光明

風雨沈沈的夜裏，
前面一片荒郊。
走盡荒郊，
便是人們底道。
呀！黑暗裏歧路萬千，
叫我怎樣走好？
「上帝！快給我些光明罷，
讓我好向前跑！」
上帝慌着說，「光明？

第一輯

光明

我沒處給你找！
你要光明，
你自己去造！」

（一九一九 一一 三）

歌聲

好嘹亮的歌聲！
黑暗的空地裏，
髣髴充滿了光明。
我波瀾洶湧的心，
像古井般平靜；
可是一些沒冷，
還深深地含着縷縷微温。
甚麼世界？
甚麼我和人？

第一輯

歌聲

我全忘記了，——一些不省！
只覺輕飄飄的，好像浮着，
隨着那歌聲的轉折，
一層層往裏追尋。

二 三

滿月的光

好一片茫茫的月光，
靜悄悄躺在地上！
枯樹們的疏影
蕩漾出她們伶伶俐俐的模樣。
髣髴她所照臨，
都在這般伶伶俐俐地蕩漾；
一色內外清瑩，
再不見纖毫翳障。
月啊！我願永永浸在你的光明海裏，

第一輯

滿月的光

長是和你一般雪亮！

一二，六

羊羣

如銀的月光裏，
一張碧油油的氈上，
羊羣靜靜地睡了。
他們雪也似的毛和月掩映着，
呵！美麗和聰明！
狠們悄悄從山上下來，
羊兒夢中驚醒：
瑟瑟地渾身亂顫；
腿軟了，

第一輯

羊羣

不能立起，只得跪着了；
眼裏含着滿眶亮晶晶的淚；
口中不住地芊芊哀鳴。
如死的沈寂給叫破了；
月已暗澹，
像是被芊芊聲嚇着似的！
　狼們終於張開血盆般的口，
露列着巉巉的牙齒，
像多少把鋼刀。
不幸的羊兒宛轉鋼刀下！
羊兒宛轉，

踪跡

狼們享樂，
他們喉嚨裏時時透出來
可怕的勝利的笑聲！
他們呼嘯着去了。
碧油油的氊上，
新添了斑斑的鮮紅血跡。
羊們縱橫躺着。
一樣地痙攣般掙扎着，
有幾箇長眠了！
他們如雪的毛上，
都塗滿泥和血；

羊 群

第一輯

羊　翠

呵！怎樣地可怕！
　這時月又羞又怒又怯，
掩着面躲入一片黑雲裏去了！

新年

夜幕沈沈，
籠着大地。
新年天半飛來，
啊！好美麗鮮紅的兩翅！
她口中含着黃澄澄的金粒——
「未來」的種子。
翅子「拍拍」的聲音
驚破了寂寞。
他們血一般的光，

第一輯

新年

照徹了夜幕；
幕中人醒，
看見新年好樂！
　新年交給他們
那顆圓的金粒；
她說，「快好好地種起來，
這是你們生命的秘密！」

一二 二一

北河沿的路燈

有密密的氈兒，
遮住了白日裏繁華燦爛。
悄沒聲兒的河沿上，
滿鋪着寂寞和黑暗。
　祇賸城墻上一行半明半滅的燈光，
還在閃閃鑠鑠地亂顫。
他們怎樣微弱！
但却是我們唯一的慧眼！
　他們幫着我們了解自然；

第一輯

北河沿的路燈

讓我們看出前途坦坦。
他們是好朋友，
給我們希望和慰安。
祝福你燈光們，
願你們永久而無限！

一九二〇，一，二五

——以上在北京作——

(14)

悵惘

只如今我像失了甚麼，
原來她不見了！
她的美在沈默的深處藏着，
我這兩日便在沈默裏浸着
沈默隨她去了，
教我茫茫何所歸呢？
但是她的影子却深深印在我心坎裏了！
原來她不見了，
只如今我像失了甚麼！

第一輯

滬杭道中

滬杭道中

雨兒一絲一絲地下着，
每每的田園在雨裏浴着，
一片青黃的顏色越發鮮艷欲滴了！
青的新出的秧針，
一塊塊錯落地鋪着；
黃的割下的麥子，
把把地疊着；
還有深黑色待種的水田，
和青的黃的間着；

踪跡

好一張彩色花氈呵！
一處處小河緩緩地流着；
河上有些窄窄的板橋搭着；
河裏幾隻小船自家橫着；
岸旁幾箇人撐着傘走着；
那邊田裏一箇農夫，披了簑，戴了笠，
慢慢地跟着一隻牛將地犂着；
牛兒走走歇歇，往前看着。
遠遠天和地密密地接了。
蒼茫裏有些影子，
大概是些叢樹和屋宇罷？

滬杭道中

第一輯

滬杭道中

却都給烟霧罩着了。

我們在煙霧裏，花氈上過着；

雨兒還在一絲一絲地下着。

秋

慘澹的長天板着臉望下瞧着，
小院裏兩株亭亭的綠樹掩映着。
一陣西風吹來，他們的葉子都顫起來了，
彷彿怕搖落的樣子——
西風是報信的？
呀！颯颯地又下雨了，
葉子被打得格外顫了。
雨裏一箇人立着，不聲不響的，
也在顫着；

第一輯

秋

好久，他才張開兩臂低聲說，
「秋天來了！」

八月——揚州作

(20)

自白

朋友們硬將擔子放在我肩上；
他們從容去了。
　擔子漸漸將我壓扁；
他說，「你如今全是『我的』了。」
我用盡兩臂的力，
想將他撥開去。
但是——遲了些！
　成天蜷曲在擔子下的我，
便當那兒是他的全世界；

第一輯

自白

灰色的冷光四面反映着他，
一切都板起臉向他。
但是擔子他手裏終會漏光；
我昏花的兩眼看見了：
四圍不都是鮮嫩的花開着嗎？
緋頰的桃花，粉面的荷花，
金粟的桂花，紅心的梅花，
都望着我舞蹈，狂笑；
笑裏送過一陣陣幽香，
全箇兒的我給牠們薰透了！
　我像一箇瘋子，

蹤跡

週身火一般熱着：
兩隻枯瘦的手拚命地亂舞，
一雙輭弱的腳儘力地狂踏；
扯開啞了的喉嚨，
大聲地笑着喝着；
甚麼都像忘記了？
　但是——
——擔子他的手又突然遮掩來了！

一九二一　二　三

自白

第一輯

紀游

紀遊

一九二〇年十一月二十八日同維祺遊天竺，靈隱，韜光，北高峯，玉泉諸勝，心裏很是歡喜；二日後寫成這詩。

一

靈隱的路上，
磚砌着五尺來寬的道兒，
像無盡長似的；
兩旁葱綠的樹把着臂兒，
讓我們下面過着。
泉兒只是泠泠地流着，

兩個亭兒亭亭地俯看着；
俯看着他們的，
便是巍巍峨峨的，金碧輝煌的殿宇了。
好陰黝幽深的殿宇！
這樣這樣大的庭柱，
我們可給你們比下去了！

二

紫竹林門前一株白菓樹，
小門旁又是一株——
怕生客麼？却縮入墻裏去了。
院裏一方紫竹，

第一輯

紀遊

迎風顫着；
殿旁坐着幾箇僧人，
一聲不響的；
所有的只是寂靜了。
　出門看見地下一堆黃葉，
扇兒似的一片片疊着。
可憐的葉兒，
夏天過了，
你們早就該下來了！
可愛的，
你們能伴我

伴我憂深的人麼？——
我檢起兩片，
珍重地藏在袋裏。

三

韶光過了，
所有的都是寂靜了。
祇有我們倆走着；
微微的風吹着。
那邊——無數竿竹子
在風裏折腰舞着；
好一片碧波喲！

紀 遊

第一輯

紀遊

這邊——紅的牆，綠的窗，
顫巍巍，瘦兢兢，挺挺地，高高地聳着的，
想是靈隱的殿宇了；
只怕是畫的哩？
雲托着他罷？
　遠遠山腰裏吹起一縷輕煙，
嫋嫋地往上升着；
升到無可再升了，
便裊裊婷婷地四散了。
　葱綠的松柏，
血一般的楓樹，

鵝黃的白果樹，
美麗嗎？
是自然的顏色罷。
葱綠的，她憂愁罷；
血一般的，她羞愧罷！
鵝黃的，她快樂罷？
我可不知；
她自己也說不出哩。

四

北高峯了，
寂靜的頂點了。

紀遊

第一輯

紀遊

四圍都籠着煙霧，
迷迷糊糊的，
甚麼都只有些影子了。
祇有地裏長着的蔬菜，
肥嫩得可愛，
綠得要滴下來；
這裏藏着我們快樂的秘密哩！……
我們的事可完了，
滿足和希望也只剩些影子罷了！

五

我們到底下來了，

踪跡

這回所見又不同了：
幾株又虬勁，又嫵媚的老松
沿途迎着我們；
一株筆直，筆直，通紅，通紅的大楓樹，
立着像孩子們用的牛乳瓶的刷子；
他在刷着自然的乳瓶嗎？

落葉堆了滿路，
我們踏着；「喳喳喊喊」的聲音。
你們訴苦麼？
卻怨不得我們；
誰教你們落下來的？

紀　遊

第一輯

紀遊

看哪，飄着，飄着，
草上又落了一片了。
我的朋友趕着檢他起來，
說這是沒有到過地上的，
他要畱着——
有誰知道這片葉的運命呢？

六

靈隱的泉聲亭影終於再見；
灰色的幕將太陽遮着，
我們只顧走着，遠了，遠了；
路旁小茶樹偷着開花——

踪跡

白而嫩的小花——
只將些葉兒掩掩遮遮。
我的朋友忍心摘了他兩朵；
怕茶樹他要流淚罷？
唉！顧了我們，
便不顧得你了？
我將花簪在帽簷，
朋友將花拈在指尖；
暮色妬羨我們，
四面圍着我們——
越逼越近了，

紀遊

第一輯

紀遊

我們便浮沈着在蒼茫裏。

送韓伯畫往俄國

天光還早，
火一般紅雲露出了樹梢，
不住地燃燒，不住地流動；
黑漆漆的大路
照得閃閃鑠鑠的，有些分明了。
立着一箇繪畫的學徒，
通身凝滯了的血都沸了；
他手舞足蹈地唱起來了：
「紅雲呵！

第一輯

送韓伯畫往俄國

鮮明美麗的雲呵！
你給了我一箇新生命！
你是宇宙神經的一節；
你是火的繪畫——
誰畫的呢？
我願意放下我所曾有的，
跟着你走；
提着眞心跟着你！」，
他果然赤裸裸的從大路上向紅雲跑去了！
祝福你繪畫的學徒！
你將在紅雲裏，

蹤跡

偸着宇宙的密意，
放在你的畫裏；
可知我們都等着哩！

一二，二八。

送韓伯畫往俄國

第一輯

湖上

綠醉了湖水，
柔透了波光；
擎着——擎着
從新月裏流來
一瓣小小的小船兒：
白衣的平和女神們
隨意地斷並着——
柔綠的水波只兢兢兢兢地將她們載了。
舷邊顫也顫的紅花，

蹤跡

是的，白汪汪映着的一枝小紅花呵。
一星火呢？
一滴血呢？
一點心兒罷？
她們柔弱的，但是喜悅的，
愛與平和的心兒？
她們開始讚美她；
唱起美妙的，
不容我們聽，只容我們想的歌來了。
白雲依依地停着；
雲雀癡癡地轉着；

湖上

第一輯

湖上

水波輕輕地汩着；
歌聲只是嫋嫋娜娜着：
人們呢，
早被融化了在她們歌喉裏。
　天風從雲端吹來，
拂着她們的美髮；
她們從容用手掠了。
於是——挽着臂兒，
並着頭兒，
點着足兒；
笑上她們的臉兒，

唱下她們的歌兒。
　我們
被佔領了的，
滿心裏，滿眼裏，
企慕着在破船上。
她們給我們美嘗了，
她們給我們愛飲了；
我們全融化了在她們裏，
也在了綠水裏，
也在了柔波裏，
也在了小船裏，

　湖　上

第一輯

湖上

和她們的新月的心裏。

二一五一四

(42)

轉眼（一）

一九二〇年五月，在北京大學畢業，即到杭州第一師範教書。初到時，小有誤會；我辭職。同學留住我。後來他們和我很好。但我自感學識不足，時覺徬徨。這篇詩便是我的自白。

轉眼的留華

雲的又到了黃梅時節。
聽——點點滴滴的江南；
看——僝僝僽僽的天色；
是處找不着一箇笑呵。
人間的那角上，

第一輯

轉眼

儘冷清清褒裹着他遊子。
熟梅風吹來瀰天漫地的愁，
絮團團擁了他；
他怯怯的心絃們，
春天和暖的太陽光裏
裊着的遊絲們的姊妹罷；
只輭輭輕輕地彈唱，
彈唱着那
溫柔的四月裏
百花開時，
智慧者用了灌溉羣芳的

如酥的細雨般的調子。
她們唱道，
「這樣無邊愁海裏浮沈着的，
可怎了得呵！」
她們憂慮着將來，
正也惆悵着過去。
　她們唱呵；

去年五月，
濕風從海濱吹來，
燕子從北方回去的時候，
他開始了他的旅路。

第一輯

轉眼

四年來的老件，
去去留留，暫離還合的他倆，
今朝分手——今朝分手。
她儘迴那，
臨別的秋波；
喜麼？
嗔麼？
他那裏理會得？
那容他理會得！
他們呢？
新交，舊識的他們，

(46)

也瞪了面面兒相覷；
只有淡淡的一杯白酒，
悄悄地擱在他前；
另有微顫的聲浪：
「江南沒熟人哩；
喝了我們的去罷～～」
他飛眼四面看了，
一聲不響飲了。——
他終於上了那旅路。
　她們唱呵：
這正是青年的夏天，

轉眼

第一輯

轉眼

和他攙着手走到江南來了。
靦覥着他的臉兒，
忐忑着他的心兒；
趔趄着，
踅罷。
東西南北那眼光，
驚驚詫詫地睞他。
他打了幾箇寒噤；
頭是一直垂下去了。
他也曾說些什麼，
他們好奇地聽他；

但生客們的語言，
怎能夠被融洽呢？
「可厭的！」——
從他在江南路上，
初見湖上的輕風
俯着和茸茸綠草裏
隨意開着
沒有名字的小白花們
私語的時候，
他所時時想着，也正怕着的
那將賜給生客們照例的詛咒，

第一輯

轉眼

終於被賜給了；
還帶了虐待來了。
可是你該知道，
怎樣是生客們的暴怒呵！
羞——紅了他的臉兒，
血——催了他的心兒；
他掉轉頭了，
他拔步走了；
他說，
他不再來了！
生客的暴怒，

蹤跡

卻能從他們心田裏，
喚醒了那久經睡着的，
不相識者的同情；
他們正都急哩！
狂熱的趕着，
沙聲兒喊着：
「爲甚撇下愛你的我們？
爲甚棄了你愛的朋友？」
他的臉於是酸了，
他的心於是輭了；
他只有留下，

轉眼

第一輯

轉眼

[illegible]下在那江南了
——她們唱呵：
他本是一朵蓓蕾，
是誰掐了他呢？
誰在火光當中
逼着他開了花，
暴露在驕傲的太陽底下呢？
他總只有怯着！
等呵！只等那灰絮絮的雲帷，
——唉，黑茸茸的夜幕也好——
遮了太陽的眼睛時，

蹤跡

他才敢躲在樹蔭裏苦笑，
他才敢躲在人背後享樂。
可是不倦的是太陽；
他蒙了臉時終是少呵！
客人們倒眞「花」一般愛他；
但他總覺當不起這愛，
他只羞而怕罷！
卻也有那無賴的糟蹋他，
太陽裏更不免有醜事嘔他，
他又將怎樣惱恨呢？——
儘顛顛倒倒的終日？

轉眼

第一輯

轉眼

飄飄泊泊了一年，
他總只算硬掙着罷。
可憐他疲倦的青春呵！
　愁呢，重重疊疊加了，
絃呢，顫顫巍巍岔了；
梟着的，纏着了，
唱着的，默着了。
理不清的現在，
摸不着的將來，
誰可懂得，
誰能說出呢？

況他這隨愁上下的，
在茫茫漠漠裏
還能有所把捉麼？
待順流而下罷！
空辜負了天生的「我」；
待逆流而上呵，
又慚愧着無力的他。
被風吹散了的，
被雨滴碎了的，
只賸有躑躅，
只賸有徬徨；

韓　眼

第一輯

轉眼

天公卻儘苦着臉，
不瞅不睬地相向。——
可是時候了！
這樣莽蕩蕩的世界之中，
到底那裏是他的路呢！

六月

（一）這篇詩已選入雪朝裏，因要序明作詩緣起，故在此重載一遍．

——以上在杭州作——

滬杭道上的暮

風澹蕩，
平原正莽莽，
雲樹蒼茫，蒼茫；
暮到離人心上。

一一，一八，滬杭車中

第一輯

挽歌

挽歌

堯深死後，有一縷輕烟似的悲哀盤旋在我心上，久久不滅。昨日讀了楚辭招魂，更惻惻不能自已。因畧參招魂之意，寫成此歌，以抒傷逝的情懷。

雲漫漫，風騷騷，
人間路呀，迢迢！
這隱約約的，
是你的遺踪？
那渺茫茫的，
是你的笑貌？

蹤跡

你不怕孤單？
你甘心寂寥？
爲什麼如醉如癡，
躑躅在那遠刁刁荒榛古道？
　天寒了，
日暮了，
賸有白楊的蕭蕭。
我把你的魂來招！
我把你的魂來招！
「堯深呀，
歸來！」

挽歌

第一輯

挽歌

儘有那暮暮朝朝，
夠你去尋歡笑。
去尋歡笑！
高山上，有着好水；
平地上，百花昡耀；（一）
日月光，何皎皎！
更多少人兒，
分你的憂，
慰你的無聊！
「堯深呀，
歸來！」

爲什麼如醉如癡，
徘徊在那遠刁刁荒榛古道？
　仰頭——
蒼天的昊昊，
低頭——
衰草的滔滔；
呀！我的眼兒焦，
你的影兒遙！
呀！我的眼兒焦，
你的影兒遙！

一二四

挽歌

第一輯

挽歌

——堯深追悼會之爲　在杭州——

（一）俗歌裏有這兩語：「高山有好水，平地有好花。」

除夜

除夜的兩枝搖搖的白燭光裏，
我眼睜睜瞧着，
一九二一年輕輕地踅過去了。

除夕——杭州

笑聲

是人們的笑笑哩。

追尋去，卻跟着風走了！

一九二三 二 三

燈光

那泱泱的黑暗中熠燿着的，
一顆黃黃的燈光呵，
我將由你的熠燿裏，
凝視她明媚的雙眼。

第一輯

獨自

白雲漫了太陽；
青山環擁着正睡的時候，
牛乳般霧露遮遮掩掩，
像輕紗似的，
罩了新嫁娘的面。
　默然在窗兒口，
上不見隻鳥兒，
下不見箇影兒，
祇賸飄飄的清風，

祗賸悠悠的遠鐘。
眼底是靡人間了，
耳根是靡人間了；
故鄉的她，獨靈跡似的，
猛猛然湧上我的心頭來了！

二三

獨自

第一輯

匆匆

匆匆

燕子去了，有再來的時候；楊柳枯了，有再青的時候；桃花謝了，有再開的時候。但是，聰明的，你告訴我，我們的日子爲什麼一去不復返呢？——是有人偷了他們罷：那是誰？又藏在何處呢？是他們自己逃走了罷：現在又到了那裏呢？

我不知道他們給了我多少日子；但我的手確乎是漸漸空虛了。在默默裏算着，八千多日子已經從我手中溜去；像針尖上一滴水滴在大海裏，我的日子滴在時間的流裏，沒有聲音，也沒有影子。我不禁頭涔涔而淚潸潸了。

去的儘管去了，來的儘管來着；去來的中間，又怎樣地匆匆呢？早上我起來的時候，小屋裏射進兩三方斜斜的太陽。太陽他有腳啊，輕輕悄悄地挪移了；我也茫茫然跟着旋轉。於是——洗手的時候，日子從水盆裏過去；喫飯的時候，日子從飯碗裏過去；默默時，便從凝然的雙眼前過去。我覺察他去的匆匆了，伸出手遮挽時，他又從遮挽着的手邊過去，天黑時，我躺在牀上，他便伶伶俐俐地從我身上跨過，從我腳邊飛去了。等我睜開眼和太陽再見，這算又溜走了一日。我掩着面嘆息。但是新來

第一輯

匆匆

的日子的影兒又開始在嘆息裏閃過了。

在逃去如飛的日子裏，在千門萬戶的世界裏的我能做些什麼呢？祇有徘徊罷了，祇有匆匆罷了；在八千多日的匆匆裏，除徘徊外，又賸些什麼呢？過去的日子如輕煙，被微風吹散了，如薄霧，被初陽蒸融了；我留着些什麼痕跡呢？我何曾留着像游絲樣的痕跡呢？我赤裸裸來到這世界，轉眼間也將赤裸裸的回去罷？但不能平的，爲什麼偏要白白走這一遭啊？

你聰明的，告訴我，我們的日子爲甚麼一去不復返呢？

三 二八

侮辱

「請客氣些！
設法一個艙位！」
「哼哼——
沒有，沒有！
你認得字罷？
看這張定單！——
不要緊——不用忙；
坐坐；
我篩杯茶你喝了去——」

第一輯

侮辱

他無端地以冷笑嘲弄我，
意外地以言語壓迫我；
我也是有血的，
怎能不漲紅了臉呢？
可是——也說不出什麼，
只喃喃了兩聲，
便憤憤然走了。
　我覺得所失遠在艙位以上了！
我覺得所感遠在憤怒以上了！
被遺棄的孤寂哪，
無友愛的空虛哪：

蹤跡

我心寒了，
我心死了！
　卻猛然間想到，
咋晚的台州！
逼窄的小艙裏，
黃暈的燈光下，
朋友們的十二分的好意！
便輕易忘記了麼？
我眞是罪過的人哪。
於是——我心頭又微微溫轉來了；
於是——我才能苟延殘喘於人間世了！

侮辱

第一輯

侮辱

一三 四 二八
海門上海船中

(74)

宴罷

拉着，扯着，——讓着，
我們團團坐下了。
「請罷，
請罷！」
杯子都舉了，
筷子都舉了。
釃釃的黃酒，
膩的膩的魚和肉；
噴鼻兒香！

第一輯

宴罷

眞噴鼻兒香！
還得拉攏着，
還得照顧着：
笑容擱在了臉上；
話到口邊時，
淡也淡的味兒！

酒夠了！
菜足了！
臉紅了，
頭暈了；
胃膨脹了，

蹤跡

人微微地倦了。
　倦了的眼前，
才有了倦了的阿慶！
他可不止「微微地」倦了；
大粒的汗珠涔涔在他額上，
涔涔下便是飢與饜的顏色。
安置杯箸是他，
斟酒是他，
捧茶是他，
遞茶和煙是他，
絞手巾也是他；

宴　罷

第一輯

宴罷

我們團團坐着，
他儘團團轉着！
杯盤的狼籍，
菓物的零亂，
他還得張羅着哩，
在飢且憊了以後。
　於是我覺得僭妄了，
今天眞的侮辱了阿慶！
也侮辱了沿街住着的
喫鹹菜紅米飯的朋友！
而阿慶的如常的小心在意，

更敎我驚詫，
甚至沈重地向我壓迫着哩！
我們都倦了！
我們都病了！
爲了甚麼呢？
爲了甚麼呢？

——台州所感　作於杭州——
一九二二　五月

——以上台州作——

宴罷

第一輯

僅存的

僅存的

髮上依稀的殘香裏，
我看見渺茫的昨日的影子——
遠了，遠了。

七月——杭州

小艙中的現代

「洋糖百合稀飯，
三箇銅板一碗，
那箇喫的？」
「竹耳扒，(一)破費你老人(二)家一箇板；
只當空手要的！」
「喫麵吧，那箇喫餃麵吧？」
「潮糕(三)要吧？開船早哩！」
「行好的大先生，你可憐可憐我們娘兒倆啵——
肚子餓了好兩天囉！」

小艙中的現代

「梨子，一角錢五箇，不甜不要錢！」
「到揚州住那一家？
照顧我們吧；
有小房間，二角八分一天！」
「看份報消消遣？」
「花生，高粱酒吧？」
「銅鎖要吧？帶一把家去送送人！」
「郭郭郭郭」，一疊春畫兒閃過我的眼前；
賣者眼裏的聲音，「要吧！」
「快開頭(四)了，賤賣啦，
梨子，一角錢八箇，那箇要哩？」

蹤跡

擁擁擠擠堆堆疊疊間，
只賸了尺來寬的道兒；
在溷濁而緊張的空氣裏，
一箇箇畸異的人形
憧憧地趕過了——
梯子上下來，
梯子上上去。
上去，上去！
下來，下來！
灰與汗塗着張張黃面孔，
炯炯的有飢餓的眼光；

第一輯

小艙中的現代

笑的兩頰，
叫的口，
檢點的手，
更都有着異樣的展開的曲線，
顯出努力的痕跡；
就像餓了的野獸們本能地想攫着些鮮血和肉一般，
他們也被什麼驅迫着似的，
想攫着些黯淡的銅板，白亮的角子！
　在他們眼裏，
艙裏擁擠着的堆疊着的，
正是些銅元和角子！——

踪跡

只飾着人形罷了，
只飾着人形罷了。
可是他們試試擺取的時候，
人形們也居然反抗了；
於是開始了那一番戰鬭！
小艙變了戰場，
他們變了戰士，
我們是被看做了敵人！
從他們的叫囂裏，
我聽出殺殺的喊呼；
從他們的顧盼裏，

第一輯

小艙中的現代

我覺出索索的顫抖；
從他們的招徠裏，
我看出他們受傷似地掙扎；
而掠奪的貪婪，
對待的殘酷，
隱約在他們間，
也正和在沙場上兵們間一樣！
這也是大戰了哩。
　我，參戰的一員，
從小艙的一切裏，
這樣，這樣，

(86)

悄然認識了那窒着息似的現代了。

七 二一 ｜鎮江揚州小輪中所感 三○作於揚州｜

(一)耳挖

(二)讀輕音

(三)食品名

(四)開船之意

小輪中的現代

第一輯

毀滅

六月間在杭州。因湖上三夜的暢遊，教我覺得飄飄然如輕烟，如浮雲，絲毫立不定脚跟。當時頗以誘惑的糾纏爲苦，而亟亟求毀滅。情思既涌，心想留些痕跡。但人事忙忙，總難下筆。暑假回家，却寫了一節；但時日遷移，興致已不及從前好了。九月間到此，續寫成初稿；相隔更久，意態又差。直到今日，才算寫定，自然是沒勁兒的！所幸心境還不曾大變，當日情懷，還能竭力追摹，不至很有出入；姑存此稿，以備自己的印證。

一九二二年十二月九日晚記。

躑躅在半路裏，

踪跡

垂頭喪氣的，
是我，是我！
五光吧，
十色吧，
羅羅在咫尺之間：
這好看的呀！
那好聽的呀！
聞着的是濃濃的香，
嘗着的是膩膩的味；
況手所觸的，
身所依的，
毀滅

第一輯

毀滅

都是滑澤的，
都是鬆軟的！
靡靡然！
怎奈何這靡靡然？——
被推着，
被挽着，
長只在俯俯仰仰間，
何曾做得一分半分兒主？
在了夢裏，
在了病裏；
只差清醒白醒的時候！

踪跡

白雲中有我，
天風的飄飄，
深淵裏有我，
伏流的滔滔；
只在青青的，青青的土泥上，
不曾印着淺淺的，隱隱約約的，我的足跡！
我流離轉徙，
我流離轉徙；
脚尖兒踏呀，
却踏不上自己的國土！
在風塵裏老了，

毁滅

第一輯

毀滅

在風塵裏衰了，
僅存的一箇懶懨懨的身子，
幾堆黑簇簇的影子！
幻滅的開場，
我儘思儘想：
「親親的，雖渺渺的，
我的故鄉——我的故鄉！
回去！回去！」
　雖有茫茫的淡月，
籠着靜悄悄的湖面，
霧露濛濛的，

踪跡

霧露濛濛的；
彷彷彿彿的羣山，
正安排着睡了。
螢火蟲在霧裏找不着路，
只一閃一閃地亂飛。
誰卻放荷花燈哩？
「哈哈哈哈～～～」
「嚇嚇嚇～～」
夾着一縷低低的簫聲，
近處的青蛙也便響起來了。
是被搖蕩着，

毀滅

第一輯

毀滅

是被牽惹着，
說已睡在「月姊姊的臂膊」裏了；
眞的，誰能不飄飄然而去呢？
但月兒其實是寂寂的，
螢火蟲也不曾和我親近，
歡笑更顯然是他們的了。
只有簫聲，
曾引起幾番的惆悵；
但也是全不相干的，
簫聲只是簫聲罷了。
搖蕩是你的，

踪跡

牽惹是你的，
他們各走各的道兒，
誰理睬你來？
橫竪做不成朋友，
纏纏綿綿有些什麼！
孤另另的，
冷清清的，
沒味兒，沒味兒！
還是掉轉頭，
走你自家的路。
囘去！回去！

毀滅

第一輯

毀滅

雖有雪樣的衣裙，
現已翩翩地散了，
彷彿清明日子燒剩的白的紙錢灰。
那活活像小河般流着的雙眼，
含蓄過多少意思，蘊藏過多少話句的，
也乾涸了，
乾到像烈日下的沙漠。
漆黑的鬢，
成了蓬蓬的秋草；
吹彈得破的面孔，
也只賸一張褐色的蠟型。

蹤跡

兒花一般的笑是不見一痕兒，
珠子一般的歌喉是不透一絲兒！
眼前是光光的了，
總只有光光的了。
撇開吧
還撇些什麼！
回去！回去！
　雖有如雲的朋友，
互相誇耀着，
互相安慰着，
高談大笑裏。
　毀滅

第一輯

毀滅

送了多少的時日；
而飲啖的豪邁
游踪的密切，
豈不像繁茂的花枝，
赤熱的火燄哩！
這樣被說在許多口裏，
被知在許多心裏的，
誰還能相忘呢？
但一丟開手，
事情便不同了；
翻來是雲，

踪跡

覆去是雨，
別過臉，
掉轉身，
認不得當年的你！——
原只是一時遺着與吧了，
誰當眞將你放在心頭呢？
於是剩了些淡淡的名字——
莽莽蒼蒼裏，
便留下你獨箇，
四圍都是空氣吧了，
四圍都是空氣吧了！

毀滅

第一輯

毀滅

還是摸索着回去吧；
那裏倒許有自己的弟兄姊妹
切切地盼望着你。
回去！回去！

雖有巧妙的玄言，
像天花的紛墜；
在我雙眼的前頭，
展示渺渺如輕紗的憧憬——
引着我飄呀，飄呀，
直到三十三天之上。
我擁在五色雲裏，

踪跡

灰色的世間在我的腳下——
小了，更小了，
遠了，幾乎想也想不到了。
但是下界的罡風
總歸呼呼地倒旋着，
吹入我絲絲的肌裏！
搖搖蕩蕩的我
倘是跌下去呵，
將像洩着氣的輕氣毬，
被人踐踏着頑兒，
祇餘嗤嗤的聲響！

毀滅

第一輯

毀滅

况倒捲的罡風，
也將像三尖兩刃刀，
劈分我的肌裏呢？——
我將被肢解在五色雲裏；
甚至化一陣煙，
裊裊地散了。
我戰慄着，
「念天地之悠悠」……
回去！回去！
　雖有餓着的肚子，
拘攣着的手，

踪跡

亂蓬蓬秋草般長着的頭髮，
凹進的雙眼，
和輭輭的脚，
尤其靈弱的心；
都引着我下去，
直向底裏去，
教我抽煙，
敎我喝酒，
教我看女人。
但我在迷迷戀戀裏，
雖然混過了多少時刻，

毀滅

第一輯

毀滅

只不讓步的是我的現在，
他不容你不理他！
況我也終于不能支持那迷戀人的，
祇覺肢體的衰頹，
心神的飄忽，
便在迷戀的中間，
也潛滋暗長着哩！
眞不成人樣的我
就這般輕輕地速朽了麼？
不！不！
趁你未成殘廢的時候，

還可用你僅有的力量！
回去！回去！
雖有死彷彿像白衣的小姑娘，
提着燈籠在前面等我，
又彷彿像黑衣的力士，
擎着鐵鎚在後面逼我——
在我煩憂着就將降臨的敗家的凶慘，
和一年來骨肉間的仇視，
（互以血眼相看着）的時候；
在我爲兩肩上的人生的担子
壓到不能喘氣，

毀滅

第一輯

毀滅

又眼見我的收穫
渺渺如遠處的雲煙的時候；
在我對着黑毿毿又白漠漠的將來，
不知取怎樣的道路，
卻儘徘徊於迷悟之糾紛的時候：
那時候她和他便隱隱顯現了，
像有些什麼，
又像沒有——
憑這樣的不可捉摸的神氣，
眞儘够致我向往了。
去，去，

蹤跡

去到她的，他的懷裏吧。
好了，她望我招手了，
他也望我點頭了。……
但是，但是，
她和他正都是生客，
教我有些放心不下；
他們的手飄浮在空氣裏，
也太渺茫了，
太難把握了，
教我怎好和他們相接呢？
況死之國又是異鄉，

毀滅

第一輯

毀滅

知道牠什麼土宜喲！
只有在—生之原上，
我是熟悉的；
我的故鄉在記憶裏的，
雖然有些模糊了，
但牠的輪廓我還是透熟的，——
哎呀！故鄉牠不正張着兩臂迎我嗎？
瓜果是熟的有味，
地方和朋友也是熟的有味；
小姑娘呀，
黑衣的力士呀，

蹤跡

我寧願回我的故鄉，
我寧願回我的故鄉；
回去！回去！
　歸來的我掙扎掙扎，
撥煙塵而見自己的國土！
什麼影像都泯沒了，
什麼光芒都收斂了；
擺脫掉糾纏，
還原了一箇平平常常的我！
從此我不再仰眼看青天，
不再低頭看白水，

毀滅

第一輯

毀滅

只謹慎着我雙雙的脚步；
我要一步步踏在土泥上，
打上深深的脚印！
雖然這些印跡是極微細的，
且必將磨滅的，
雖然這遲遲的行步
不稱那迢迢無盡的程途，
但現在平常而渺小的我，
只看到一箇箇分明的脚步，
便有十分的欣悅——
那些遠遠遠遠的

是再不能，也不想理會的了。
別就擱吧，
走！走！走！

第一輯

細雨

東風裏
掠過我臉邊，
星呀星的細雨，
是春天的絨毛呢。

二三 三 八

香

「聞着梅花香麼？」——
徜徉在山光水色中的我們，
陡然都默契着了。

二四，一，二

——以上在溫州作——

第一輯

別後

我和你分手以後，
的確有了長進了！
大杯的喝酒，
整匣的抽煙，
這都是從前沒有的。
喝了酒昏昏的睡，
煙的香眞好——
我的手指快黃了，
有味，有味。

因爲在這些時候，
忘了你，
也忘了我自己！
　成日坐在有刺的椅上，
老想起來走；
空空的房子，
冷的開水，
冷的被窩——
峭厲的春寒呀，
我懷中的人呢？
　你們總是我的，

第一輯

別後

我卻將你們冷冷的丟在那地方，
沒有依靠的地方！
我是你唯一的依靠，
但我又是靠不住的；
我懸懸的
便是這箇。
我是箇千不行萬不行的人，
但我總還是你的人！——
唉！我又要抽煙了。

三月 ——甯波作

贈A・S.

你的手像火把，
你的眼像波濤，
你的言語如石頭，
怎能使我忘記呢？
你飛渡洞庭湖，
你飛渡揚子江；
你要建紅色的天國在地上！
地上是荊棘呀，
地上是狐兎呀，

第一輯

贈AS

地上是行尸呀；
你將爲一把快刀，
披荊斬棘的快刀！
你將爲一聲師子吼，
狐兎們披靡奔走！
你將爲春雷一震，
讓行尸們驚醒！

　我愛看你的騎馬，
在塵土裏馳騁——
一會兒，不見踪影！
我愛看你的手杖，

踪　　跡

那鐵的鐵的手杖；
牠有顏色，有斤兩，有錚錚的聲響！
我想你是一陣飛沙走石的狂風，
要吹倒那不能搖撼的黃金的王宮！
那黃金的王宮！
嗚～～吹呀！
　去年一箇夏天大早我見着你：
你何其顯頓呢？
你的眼還澀着，
你的髮太長了！
但你的血的熱加倍的薰灼着！

贈AS

第一輯

贈AS

在灰泥裏輾轉的我，
彷彿被焙炙着一般！——
你如郁烈的雪茄煙，
你如斕斕的白蘭地，
你如通紅通紅的辣椒，
我怎能忘記你呢？

四，一五。

——甯波作

(120)

風塵

——兼贈F君——

莽莽的罡風，
將我吹入黄沙的夢中。
天在我頭上旋轉，
星辰都像飛舞的火鴉了！
地在我脚下迴旋，
山河都向着我滚滚而來了！
亂沙打在我面上時，
我才略略認識了自己；

第一聲

鳳塵

我的眼好容易微微的張開——
好利害的沙呀！
磚石變成了鴿子紛紛的飛；
朦朧的綠樹大刷帚似的
從我脚邊掃過去；
新插的秧針簡直是軟毛刷，
刷在我的頰上，膩膩兒的。
牛馬呀！牛馬呀！
都飛起來了！
人泥，人也飛起來了——
墓中的死者也飛起來了！

踪跡

呀，我在那兒呀？
也飛着哩！也飛着哩！
呀，F君，你呢？你呢？
也在什麼地方飛吧？
來攜手呀，
我們都在黃沙的夢裏呀，
我們都在黃沙的夢裏呀！

五　二八　——驛亭甯波車中

風臨

第一輯

風塵

第二輯

歌聲

昨晚中西音樂歌舞大會裏「中西絲竹和唱」的三曲清歌，眞令我神迷心醉了。

彷彿一個暮春的早晨。霏霏的毛雨（一）默然灑在我臉上，引起潤澤，輕鬆的感覺。新鮮的微風吹動我的衣袂，像愛人的鼻息吹着我的手一樣。我立的一條白礬石的甬道上，經了那細雨，正如塗了一層薄薄的乳油；踏着祇覺越發滑膩可愛了。

第二輯

歐擊

這是在花園裏。羣花都還做她們的清夢。那微雨偸偸洗去她們的塵垢，她們的甜軟的光澤便自煥發了。在那被洗去的浮艷下，我能看到她們在有日光時所深藏着的恬靜的紅，冷落的紫，和苦笑的白與綠。以前錦繡般在我眼前的，現在都帶了黯淡的顏色。——是愁着芳春的銷歇麼？是感着芳春的困倦麼？

大約也因那濛濛的雨，園裏沒了穠郁的香氣。涓涓的東風祗吹來一縷縷餓了似的花香；夾帶着些潮濕的草叢的氣息和泥土的滋味。園外田畝和沼澤裏，又時時送過些新插的秧，少壯的麥，和成陰的柳樹的清新的蒸氣。這些雖非甜美，卻能強烈地刺激我的鼻觀，使我有愉快的倦怠之感。

看啊，那都是歌中所有的：我用耳，也用眼，鼻，舌，身，聽着；也用心唱着。我終於被一種健康的麻痺襲取了，於是為歌所有。此後只由歌獨自唱着，聽着；世界上便祇有歌聲了。

二一，一二，三，上海

(一)細雨如牛毛，揚州稱為「毛雨」。

槳聲燈影裏的秦淮河

一九二三年八月的一晚，我和平伯同游秦淮河；平伯是初泛，我是重來了。我們雇了一隻「七板子」，在夕陽已去，皎月方來的時候，便下了船。於是槳聲汩——汩，我們開始領略那晃蕩着薔薇色的歷史的秦淮河的滋味了。

秦淮河裏的船，比北京萬生園，頤和園的船好，比西湖的船好，比揚州瘦西湖的船也好。這幾處的船不是覺着笨，就是覺着簡陋，局促；都不能引起乘客們的情韻，如秦淮河的船一樣。秦淮河的船約略可分爲兩種：

一是大船；一是小船，就是所謂「七板子」。大船艙口闊大，可容二三十人。裏面陳設着字畫和光潔的紅木傢具，桌上一律嵌着冰涼的大理石面。窗格雕鏤頗細，使人起柔膩之感。窗格裏映着紅色藍色的玻璃；玻璃上有精緻的花紋，也頗悅人目。「七板子」規模雖不及大船，但那淡藍色的欄干，空敞的艙，也足繫人情思。而最出色處卻在牠的艙前。艙前是甲板上的一部，上面有弧形的頂，兩邊用疏疏的欄干支着。裏面通常放着兩張籐的躺椅。躺下，可以談天，可以望遠，可以顧盼兩岸的河房。大船上也有這箇，但在小船上更覺清雋罷了。艙前的頂下，一律懸着燈彩；燈的多少，明暗，彩蘇的精粗，豔晦，是不一的，但好歹總還你一箇燈彩。這燈彩實在是最能鉤人的東西。夜幕垂垂地下來時，大小船上都點起燈火。從兩重玻璃裏映出那輻射着的黃黃的散光，反暈出一片朦朧的煙靄；透過這煙靄，在黯黯的水波裏，又逗起縷縷的明漪。在這薄靄和微漪裏，聽着那悠然的間歇的槳聲，誰能不被引入他的美夢去呢？只愁夢太多了，這些大小船兒如何載得起呀？我們這時模模糊糊的談着明末的秦淮河的豔跡，如桃花扇及板橋雜記裏所載的。我們真神往了。我們彷彿親見那時華燈映水，畫舫凌波的光景了。於是我們的船便成了歷史的重載了。我們終於恍然秦淮河的船所以雅麗過於他處，而又有奇異的吸引力的，實在是許多歷史的影象使然了。

秦淮河的水是碧陰陰的；看起來厚而不膩，或者是六朝金粉所凝麼？我們初上船的時候，天色還未斷黑，那漾漾的柔波是這樣的恬靜，委婉，使我們一面有水闊天空之想，一面又憧憬着紙醉金迷之境了。等到燈火明時，陰陰的變爲沈沈了：黯淡的水光，像夢一般；那偶然閃爍着的光芒，就是夢的眼睛了。我們坐在艙前，因了那隆起的頂棚，彷彿總是昂着首向前走着似的；於是飄飄然如御風而行的我們，看着那些自在的灣泊着的船，船裏走馬燈般的人物，便像是下界一般，迢迢的遠了，又像在霧裏看花，儘朦朦朧朧的。這時我們已過了利涉橋，望見東關頭了。沿路聽見斷續的歌聲：有從沿河的妓樓飄來的，有從河上船裏度來的。我們明知那些歌聲，只是些因襲的言詞，從生澀的歌喉裏機械的發出來的；但牠們經了夏夜的微風的吹漾和水波的搖拂，裊娜着到我們耳邊的時候，已經不單是她們的歌聲，而混着微風和河水的密語了。於是我們不得不被牽惹着，震撼着，相與浮沈於這歌聲裏了。從東關頭轉灣，不久就到大中橋。大中橋共有三個橋拱，都很闊大，儼然是三座門兒；使我們覺得我們的船和船裏的我們，在橋下過去時，眞是太無顏色了。橋磚是深褐色，表明牠的歷史的長久；但都完好無缺，令人太息於古昔工程的堅美。橋上兩旁都是木壁的房子，中間應該有街路？這些房子都破舊了，多年煙薰的跡，遮沒了當年的美麗。我想像秦淮河的極盛時，在這樣宏闊的橋上，特地蓋了房子，必然是髹漆得富富麗麗的；晚間必然是燈火通明的。現在卻只賸下一片黑沈沈！但是橋上造着房子，畢竟使我們多少可以想見往日的繁華；這也慰情聊勝無了。過了大中橋，便到了燈月交輝，笙歌徹夜的秦淮河；這才是秦淮河的眞面目哩。

大中橋外，頓然空闊，和橋內兩岸排着密密的人家的大異了。一眼望去，疏疏的林，淡淡的月，襯着藍蔚的天，頗像荒江野渡光景；那邊呢，鬱叢叢的，陰森森的，又似乎藏着無邊的黑暗：令人幾乎不信那是繁華的秦淮河了。但是河中眩暈着的燈光，縱橫着的畫舫，悠揚着的笛韻，夾着那吱吱的胡琴聲，終於使我們認識綠如茵陳酒的秦淮水了。此地天裸露着的多些，故覺夜來的獨遲些；從清清的水影裏，我們感到的只是薄薄的夜——這正是秦淮河的夜。大中橋外，本來還有一座復成橋，是船夫口中的我們的遊蹤盡處，或也是秦淮河繁華的盡處了。我的腳曾踏過復成橋的脊，在十三四歲的時候。但是兩次遊秦淮河，卻都不曾見着復成橋的面；明知總在前途的，卻常覺得有些虛無縹緲似的。我想，不見倒也好。這時正是盛夏。我們下船後，藉着新生的晚涼和河上的微風，暑氣已漸漸銷散；到了此地，豁然開朗，身子頓然輕了——習習的清風荏苒在面上，手上，衣上，這便又感到了一縷新涼了。南京的日光，大概沒有杭州猛烈；西湖的夏夜老是熱蓬蓬的，水像沸着一般，秦淮河的水卻儘是這樣冷冷地綠着。任你人影的憧憧，歌聲的擾擾，總像隔着一層薄薄的綠紗面罩似的；牠儘是這樣靜靜的，冷冷的綠着。我們出了大中橋，走不上半里路，船夫便將船撑到一旁，停了槳由牠宕着。他以爲那裏正是繁華的極點，再過去就是荒涼了；所以讓我們多多賞鑑一會兒。他自己卻靜靜的蹲着。他是看慣這光景的了，大約只是一箇無可無不可。

這無可無不可，無論是升的沉的，總之，都比我們高了。

那時河裏鬧熱極了；船大半泊着，小半在水上穿梭似的來往。停泊着的都在近市的那一邊，我們的船自然也夾在其中。因爲這邊略略的擠，便覺得那邊十分的疏了。在每一隻船從那邊過去時，我們能畫出牠的輕輕的影和曲曲的波，在我們的心上；這顯着是空，且顯着是靜了。那時處處都是歌聲和悽厲的胡琴聲，圓潤的喉嚨，確乎是很少的。但那生澀的，尖脆的調子能使人有少年的，粗率不拘的感覺，也正可快我們的意。況且多少隔開些兒聽着，因爲想像與渴慕的做美，總覺更有滋味；而競發的喧囂，抑揚的不齊，遠近的雜沓，和樂器的嘈嘈切切，合成另一意味的諧音，也使我們無所適從，如隨着大風而走。這實在因爲我們的心枯澀久了，變爲脆弱；故偶然潤澤一下，便瘋狂似的不能自主了。但秦淮河確也膩人。即如船裏的人面，無論是和我們一堆兒泊着的，無論是從我們眼前過去的，總是模模糊糊的，甚至渺渺茫茫的；任你張圓了眼睛，揩凈了眥垢，也是枉然。這眞够人想呢。在我們停泊的地方，燈光原是紛然的；不過這些燈光都是黃而有暈的。黃已經不能明了，再加上了暈，便更不成了。燈愈多，暈就愈甚；在繁星般的黃的交錯裏，秦淮河彷彿籠上了一團光霧。

光芒與霧氣騰騰的暈着，什麼都祇賸了輪廓了；所以人面的詳細的曲線，便消失於我們的眼底了。但燈光究竟奪不了那邊的月色；燈光是渾的，月色是清的。在渾沌的燈光裏，滲入一派清輝，卻眞是奇跡！那晚月兒已瘦削了兩三分。她晚粧才罷，盈盈的上了柳梢頭。天是藍得可愛，彷彿一汪水似的；月兒便更出落得精神了。岸上原有三株兩株的垂楊樹，淡淡的影子，在水裏搖曳着。牠們那柔細的枝條浴着月光，就像一支支美人的臂膊，交互的纏着，挽着；又像是月兒披着的髮。而月兒偶然也從牠們的交叉處偷偷窺看我們，大有小姑娘怕羞的樣子。岸上另有幾株不知名的老樹，光光的立着；在月光裏照起來，卻又儼然是精神矍鑠的老人。遠處——快到天際線了，才有一兩片白雲，亮得現出異彩，像美麗的貝殼一般。白雲下便是黑黑的一帶輪廓；是一條隨意畫的不規則的曲線。這一段光景，和河中的風味大異了。但燈與月竟能并存着，交融着，使月成了纏綿的月，燈射着渺渺的靈輝；這正是天之所以厚秦淮河，也正是天之所以厚我們了。

這時卻遇着了難解的糾紛。秦淮河上原有一種歌妓，是以歌爲業的。從前都在茶舫上，唱些大曲之類。每日午後一時起；什麼時候止，卻忘記了。晚上照樣也有一回，也在黃暈的燈光裏。我從前過南京時，曾隨着朋友去聽過兩次。因爲茶舫裏的人臉太多了，覺得不大適意，終於聽不出所以然。前年聽說歌妓被取締了，不知怎的，頗涉想了幾次——卻想不出什麼。這次到南京，先到茶舫上去看看，覺得頗是寂寥，令我無端的悵悵了。不料她們卻仍在秦淮河裏掙扎着，不料她們竟會糾纏到我們，我於是很張皇了。她們也乘着「七板子」，她們總是坐在艙前的。艙前點着石油汽燈，光亮眩人眼目：坐在下面的，自然是纖毫畢見了——引誘客人們的力量，也便在此了。艙裏躲着樂工等人，映着汽燈的餘輝蠕動着；他們是永遠不被注意的。每船的歌妓大約都是二人；天色一黑，她們的船就在大中橋外往來不息的兜生意。無論行着的船，泊着的船，都要來兜攬的。這都是我後來推想出來的。那晚不知怎樣，忽然輪着我們的船了。我們的船好好的停着，一隻歌舫划向我們來了；漸漸和我們的船並着了。爍爍的燈光逼得我們皺起了眉頭；我們的風塵色全給牠托出來了，這使我踧踖不安了。那時一箇夥計跨過船來，拿着攤開的歌摺，就近塞向我的手裏，說，「點幾齣吧！」他跨過來的時候，我們船上似乎有許多眼光跟着。同時相近的別的船上也似乎有許多眼睛炯炯的向我們船上看着。我眞窘了！我也裝出大方的樣子，向歌妓們瞥了一眼，但究竟是不成的！我勉強將那歌摺翻了一翻，卻不曾看清了幾箇字；

便趕緊遞還那夥計，一面不好意思地說，「不要。我們……不要。」他便塞給平伯。平伯掉轉頭去，搖手說，「不要！」那人還膩着不走。平伯又回過臉來，搖着頭道，「不要！」於是那人重到我處。我窘着再拒絕了他。他這才有所不屑似的走了。我的心立刻放下，如釋了重負一般。我們就開始自白了。

我說我受了道德律的壓迫，拒絕了她們；心裏似乎很抱歉的。這所謂抱歉，一面對於她們，一面對於我自己。她們於我們雖然沒有很奢的希望；但總有些希望的。我們拒絕了她們，無論理由如何充足，卻使她們的希望受了傷；這總有幾分不做美了。這是我覺得很悵悵的。至於我自己，更有一種不足之感。我這時被四面的歌聲誘惑了，降服了；但是遠遠的，遠遠的歌聲總彷彿隔着重衣搔癢似的，越搔越搔不着癢處。我於是憧憬着貼耳的妙音了。在歌舫划來時，我的憧憬，變爲盼望；我固執的盼望着，有如飢渴。雖然從淺薄的經驗裏，也能够揣知，那貼耳的歌聲，將剝去了一切的美妙；但一箇平常的人像我的，誰願潑了理性之力去醜化未來呢？我寧願自己騙着了。不過我的社會感性是很敏銳的；我的思力能拆穿道德律的西洋鏡，而我的感情卻終於被牠壓服着。我於是有所顧忌了，尤其是在衆目昭彰的時候。道德律的力，本來是民衆賦予的；在民衆的面前，自然更顯出牠的威嚴了。我這時一面盼望，一面卻感到了兩重的禁制：一，在通俗的意義上，接近妓者總算一種不正當的行爲；二，妓是一種不健全的職業，我們對於她們，應有哀矜勿喜之心，不應賞玩的去聽她們的歌。在衆目睽睽之下，這兩種思想在我心裏最爲旺盛。她們暫時壓倒了我的聽歌的盼望，這便成就了我的灰色的拒絕。那時的心實在異常狀態中，覺得頗是昏亂。歌舫去了，暫時寧靖之後，我的思緒又如潮湧了。兩箇相反的意思在我心頭往復：賣歌和賣淫不同，聽歌和狎妓不同，又干道德甚事？——但是，但是，她們既被逼的以歌爲業，她們的歌必無藝術味的；況她們的身世，我們究竟該同情的。所以拒絕倒也是正辦。但這些意思終於不會撇開我的聽歌的盼望。牠力量異常堅強；牠總想將別的思緒踏在腳下。從這重重的爭鬬裏，我感到了濃厚的不足之感。這不足之感使我的心盤旋不安，起坐都不安寧了。唉！我承認我是一箇自私的人！平伯呢，卻與我不同。他引周啓明先生的詩，「因爲我有妻子，所以我愛一切的女人；因爲我有子女，所以我愛一切的孩子。」（一）他的意思可以見了。他因爲推及的同情，愛着那些歌妓，并且尊重着她們，所以拒絕了她們。在這種情形下，他自然以爲聽歌是對於她們的一種侮辱。但他也是想聽歌的，雖然不和我一樣。所以在他的心中，當然也有一番小小的爭鬬；爭鬬的結果，是同情勝了。至於道德律，在他是沒有什麼的；因爲他旣有蔑視一切的傾向，民衆的力量在他是不大覺着的。這時他的心意的活動比較簡單，又比較鬆弱，故事後還怡然自若；我卻不能了。這裏平伯又比我高了。

在我們談話中間，又來了兩隻歌舫。夥計照前一樣的請我們點戲，我們照前一樣的拒絕了。我受了三次窘，心裏的不安更甚了。清豔的夜景也爲之減色。船夫大約因爲要趕第二趟生意，催着我們回去；我們無可無不可的答應了。我們漸漸和那些暈黃的燈光遠了，只有些月色冷清清的隨着我們的歸舟。我們的船竟沒箇伴兒，秦淮河的夜正長哩！到大中橋近處，才遇着一隻來船。這是一隻載妓的板船，黑漆漆的沒有一點光。船頭上坐着一箇妓女；暗裏看出，白地小花的衫子，黑的下衣。她手裏拉着胡琴，口裏唱着青衫的調子。她唱得響亮而圓轉；當她的船箭一般駛過去時，餘音還嫋嫋的在我們耳際，使我們傾聽而向往。想不到在弩末的遊蹤裏，還能領略到這樣的清歌！這時船過大中橋了，森森的水影，如黑暗張着巨口，要將我們的船吞了下去。我們回顧那渺渺的黃光，不勝依戀之情；我們感到了寂寞了！這一段地方夜色甚濃，又有兩頭的燈火招邀着；橋外的燈火不用說了，過了橋另有東關頭疏疏的燈火。我們忽然仰頭看見依人的素月，不覺深悔歸來之早了！走過東關頭，有一兩隻大船灣泊着，又有幾隻船向我們來着。囂囂的一陣歌聲人語，彷彿笑我們無伴的孤舟哩。東關頭轉灣，河上的夜色更濃了；臨水的妓樓上，時時從簾縫裏射出一線一線的燈光；彷彿黑暗從酣睡裏眨了一眨眼。我們默然的對着，靜聽那汩——汩的槳聲，幾乎要入睡了；朦朧裏卻温尋着適纔的繁華的餘味。我那不安的心在靜裏愈顯活躍了！這時我們都有了不足之感，而我的更其濃厚。我們卻又不願回去，於是祇能由懊悔而悵惘了。船裏便滿載着悵惘了。直到利涉橋下，微微嘈雜的人聲，才使我豁然一驚；那光景卻又不同。右岸的河房裏，都大開了窗戶，裏面亮着晃晃的電燈，電燈的光射到水上，蜿蜒曲折，閃閃不息，正如跳舞着的仙女的臂膊。我們的船已在她的臂膊裏了；如睡在搖籃裏一樣，倦了的我們便又入夢了。那電燈下的人物，只覺像螞蟻一般，更不去縈念。這是最後的夢；可惜是最短的夢！黑暗重復落在我們面前，我們看見傍岸的空船上一星兩星的，枯燥無力又搖搖不定的燈光。我們的夢醒了，我們知道就要上岸了；我們心裏充滿了幻滅的情思。

——一九二三年十月十一日作完，於溫州。

(一)原詩是，「我爲了自己的兒女才愛小孩子，爲了自己的妻才愛女人」，見雪朝四八頁。

溫州的踪跡

（一）「月朦朧，鳥朦朧，簾捲海棠紅」(一)

這是一張尺多寬的小小的橫幅，馬孟容君畫的。上方的左角，斜着一卷綠色的簾子，稀疏而長；當紙的直處三分之一，橫處三分之二。簾子中央，着一黃色的，茶壺嘴似的鉤兒——就是所謂軟金鉤麼？「鉤彎」垂着雙穗，石青色；絲縷微亂，若小曳於輕風中。紙右一圓月，淡淡的青光遍滿紙上；月的純淨，柔軟與平和，如一張睡美人的臉。從簾的上端向右斜伸而下，是一枝交纏的海棠花。花葉扶疏，上下錯落着，共有五叢；或散或密，都玲瓏有致。葉嫩綠色，彷彿掐得出水似的；在月光中掩映着，微微有淺深之別。花正盛開，紅豔欲流；黃色的雄蕊歷歷的，閃閃的。襯托在叢綠之間，格外覺着嬌嬈了。枝欹斜而騰挪，如少女的一隻臂膊。枝上歇着一對黑色的八哥，背着月光，向着簾裏。一隻歇得高些，小小的眼兒半睜半閉的，似乎在入夢之前，還有所留戀似的。那低些的一隻別過臉來對着這一隻，已縮着頸兒睡了。簾下是空空的，不着一些痕跡。

試想在圓月朦朧之夜，海棠是這樣的嫵媚而嫣潤；枝頭的好鳥為什麼卻雙棲而各夢呢？在這夜深人靜的當兒，那高踞着的一隻八哥兒，又為何儘撐着眼皮兒不肯睡去呢？他到底等什麼來着？捨不得那淡淡的月兒麼？捨不得那疏疏的簾兒麼？不，不，不，您得到簾下去找，您得向簾中去找——您該找着那捲簾人了？他的情韻風懷，原是這樣這樣的喲！朦朧的豈獨月呢；豈獨鳥呢？但是，咫尺天涯，教我如何耐得？我拚着千呼萬喚；你能够出來麼？

這頁畫布局那樣經濟，設色那樣柔活，故精彩足以動人。雖是區區尺幅，而情韻之厚，已足淪肌浹髓而有餘。我看了這畫，瞿然而驚；留戀之懷，不能自已。故將所感受的印象細細寫出，以誌這一段因緣。但我于中西的畫都是門外漢，所說的話不免爲內行所笑。——那也只好由他了。

二四，二，一，溫州作

(一)舊題，係舊句。

(二)綠

我第二次到仙岩(一)的時候，我驚詫於梅雨潭的綠了。

梅雨潭是一個瀑布潭。仙岩有三個瀑布，梅雨瀑最低。走到山邊，便聽見花花花花的聲音；擡起頭，鑲在兩條溼溼的黑邊兒裏的，一帶白而發亮的水便呈現於眼前了。我們先到梅雨亭。梅雨亭正對着那條瀑布；坐在亭邊，不必仰頭，便可見牠的全體了。亭下深深的便是梅雨潭。這個亭踞在突出的一角的岩石上，上下都空空兒的；彷彿一隻蒼鷹展着翼翅浮在天宇中一般。三面都是山，像半個環兒擁着；人如在井底了。這是一個秋季的薄陰的天氣。微微的雲在我們頂上流着；岩面與草叢都從潤溼中透出幾分油油的綠意。而瀑布也似乎分外的響了。那瀑布從上面冲下，彷彿已被扯成大小的幾綹；不復是一幅整齊而平滑的布。岩上有許多稜角；瀑流經過時，作急劇的撞擊，便飛花碎玉般亂濺着了。那濺着的水花，晶瑩而多芒；遠望去，像一朵朵小小的白梅，微雨似的紛紛落着。據說，這就是梅雨潭之所以得名了。但我覺得像楊花，格外確切些。輕風起來時，點點隨風飄散，那更是楊花了。——這時偶然有幾點送入我們溫暖的懷裏，便倏的鑽了進去，再也尋他不着。

梅雨潭閃閃的綠色招引着我們；我們開始追捉她那離合的神光了。揪着草，攀着亂石，小心探身下去，又鞠躬過了一個石穹門，便到了汪汪一碧的潭邊了。瀑布在襟袖之間；但我的心中已沒有瀑布了。我的心隨潭水的綠而搖蕩。那醉人的綠呀！彷彿一張極大極大的荷葉鋪着，滿是奇異的綠呀。我想張開兩臂抱住她；但這是怎樣一個妄想呀。——站在水邊，望到那面，居然覺着有些遠呢！這平鋪着，厚積着的綠，着實可愛。她鬆鬆的皺纈着，像少婦拖着的裙幅；她輕輕的擺弄着，像跳動的初戀的處女的心；她滑滑的明亮着，像塗了「明油」

一般，有雞蛋清那樣輭，那樣嫩，令人想着所曾觸過的最嫩的皮膚；她又不雜些兒塵滓，宛然一塊溫潤的碧玉，只清清的一色——但你却看不透她！我曾見過北京十剎海拂地的綠楊，脫不了鵝黃的底子，似乎太淡了。我又曾見過杭州虎跑寺近旁高峻而深密的「綠壁」，叢疊着無窮的碧草與綠葉的，那又似乎太濃了。其餘呢，西湖的波太明了，秦淮河的也太暗了。可愛的，我將什麼來比擬你呢？我怎麼比擬得出呢？太約潭是很深的，故能蘊蓄着這樣奇異的綠；彷彿蔚藍的天融了一塊在裏面似的，這才這般的鮮潤呀。——那醉人的綠呀！我若能裁你以為帶，我將贈給那輕盈的舞女；她必能臨風飄舉了。我若能挹你以爲眼，我將贈給那善歌的盲妹；她必明眸善睞了。我捨不得你，我怎捨得你呢？我用手拍着你，撫摩着你，如同一個十二三歲的小姑娘。我又掬你入口，便是吻着她了。我送你一個名字，我從此叫你「女兒綠」，好麼？

我第二次到仙岩的時候，我不禁驚詫於梅雨潭的綠了。

二 八 溫州作

(一)山名，瑞安的勝蹟。

(三) 白水漈

幾個朋友伴我游白水漈。

這也是個瀑布；但是太薄了，又太細了。有時閃着些須的白光；等你定睛看去，卻又沒有——只賸一片飛烟而已。從前有所謂「霧縠」，大概就是這樣了。所以如此，全由於岩石中間突然空了一段；水到那裏，無可憑依，凌虛飛下，便扯得又薄又細了。當那空處，最是奇蹟。白光嬗為飛煙，已是影子；有時卻連影子也不見。有時微風過來，用纖手挽着那影子，牠便嫋嫋的成了一個軟弧；但她的手才鬆，牠又像橡皮帶兒似的，立刻伏伏貼貼的縮回來了。我所以猜疑，或者另有雙不可知的巧手，要將這些影子織成一個幻網。——微風想奪了她的，她怎麼肯呢？

幻網裏也許織着誘惑；我的依戀便是箇老大的證據。

三　一六　寗波作

（四）生命的價格——七毛錢

生命本來不應該有價格的；而竟有了價格！人販子，老鴇，以至近來的綁票土匪，都就他們的所有物，標上參差的價格，出賣於人；我想將來許還有公開的人市場呢！在種種「人貨」裏，價格最高的，自然是土匪們的票了，少則成千，多則成萬；大約是有歷史以來，「人貨」的最高的行情了。其次是老鴇們所有的妓女，由數百元到數千元，是常常聽到的。最賤的要算是人販子的貨色！他們所有的，只是些男女小孩，只是些「生貨」，所以便賣不起價錢了。

人販子只是「仲買人」，他們還得取給於「廠家」，便是出賣孩子們的人家。「廠家」的價格才眞是道地呢！青光裏曾有一段記載，說三塊錢買了一個丫頭；那是移讓過來的，但價格之低，也就够令人驚詫了！「廠家」的價格，卻還有更低的！三百錢，五百錢買一個孩子，在災荒時不算難事！但我不曾見過。我親眼看見的一條最賤的生命，是七毛錢買來的！這是一個五歲的女孩子。一個五歲的「女孩子」賣七毛錢，也許不能算是最賤；但請您細看，將一條生命的自由和七枚小銀元各放在天平的一個盤裏，您將發見，正如九頭牛與一根牛毛一樣，兩個盤兒的重量相差實在太遠了！

我見這個女孩，是在房東家裏。那時我正和孩子們喫飯；妻走來叫我看一件奇事，七毛錢買來的孩子！孩子端端正正的坐在條凳上；面孔黃黑色，但還豐潤；衣帽也還整潔可看。我看了幾眼，覺得和我們的孩子也沒有什麼差異；我看不出她的低賤的生命的符記——如我們看低賤的貨色時所容易發見的符記。我回到自己的飯桌上，看看阿九和阿菜，始終覺得和那個女孩沒有什麼不同！但是，我畢竟發見眞理了！我們的孩子所以高貴，正因爲我們不曾出賣他們，而那個女孩所以低賤，正因爲她是被出賣的；這就是他祗値七毛錢的緣故了！呀，聰明的眞理！

妻告訴我這孩子沒有父母，她哥嫂將她賣給房東家姑爺開的銀匠店裏的伙計，便是帶着她吃飯的那個人。他似乎沒有老婆，手頭很窘的，而且喜歡喝酒，是一個糊塗的人！我想這孩子父母若還在世，或者還捨不得賣她，至少也要遲幾年賣她；因爲她究竟是可憐可憐的小羔羊。到了哥嫂的手裏，情形便不同了！家裏總不寬裕，多一張嘴吃飯，多費些布做衣，是顯而易見的。將來人大了，由哥嫂賣出，究竟是爲難的；說不定還得找補些兒，才能送出去。這可多麼冤呀！不如趁小的時候，誰也不注意，做個人情，送了乾淨！您想，溫州不算十分窮苦的地方，也沒碰着大荒年，幹什麼得了七個小毛錢，就心甘情願的將自己的小妹子捧給人家呢？說等錢用？誰也不信！七毛錢了得什麼急事！溫州又不是沒人買的！大約買賣兩方本來相知；那邊恰要個孩子頑兒，這邊也樂得出脫，便半送半賣的含糊定了交易。我猜想那時夥計向袋裏一摸，一股腦兒掏了出來，只有七毛錢！哥哥原也不指望着這筆錢用，也就大大方方收了完事。於是財貨兩交，那女孩便歸伙計管業了！

這一筆交易的將來，自然是在運命手裏；女兒本姓「碰」，由她去碰吧了！但可知的，運命決不加惠於她！第一幕的戲已啓示於我們了！照妻所說，那伙計必無這樣耐心，撫養她成人長太！他將像豢養小豬一樣，等到相當的肥壯的時候，便賣給屠戶，任他宰割去；這其間他得了賺頭，是理所當然的！但屠戶是誰呢？在她賣做丫頭的時候，便是主人！「仁慈的」主人只宰割她相當的勞力，如養羊而剪牠的毛一樣。到了相當的年紀，便將她配人。能夠這樣，她雖然被擯在丫頭坯裏，却還算不幸中之幸哩。但在目下這錢世界裏，如此大方的人究竟是少的；我們所見的，十有六七是刻薄人！她若賣到這種人手裏，他們必搾榨她過量的勞力。供不應求時，便罵也來了，打也來了！等她成熟時，却又好轉賣給人家作妾；平常搾榨的不够，這兒又找補一個尾子！

偏生這孩子模樣兒又不好；入門不能得丈夫的歡心，容易遭大婦的凌虐，又是顯然的！她的一生，將消磨於眼淚中了！也有些主人自己收婢作妾的；但紅顏白髮，也只空斷送了她的一生！和前例相較，只是五十步與百步而已。——更可危的，她若被那伙計賣在妓院裏，老鴇才眞是個令人肉顫的屠戶呢！我們可以想到：她怎樣逼她學彈學唱，怎樣驅遣她去做粗活！怎樣用籐筋打她，用針刺她！怎樣督責她承歡賣笑！她怎樣吃殘羹冷飯！怎樣打熬着不得睡覺！怎樣終於生了一身毒瘡！她的像貌使她只能做下等的妓女；她的淪落風塵是終生的！她的悲劇也是終生的！——唉！七毛錢竟買了你的全生命

溫州的踪跡

——你的血肉之軀竟抵不上區區七個小銀元麼？生命眞太賤了！生命眞太賤了！

因此想到自己的孩子的運命，眞有些膽寒！錢世界裏的生命市場存在一日，都是我們孩子的危險！都是我們孩子的侮辱！您有孩子的人呀，想想看，這是誰之罪呢？這是誰之責呢？

四九

——佩弦作

航船中的文明

第一次乘夜航船，從紹興府橋到西興渡口。

紹興到西興本有汽油船。我因急於來杭，又因年來逐逐於火車輪船之中，也想「回到」航船裏，領略先代生活的異樣的趣味；所以不顧親戚們的堅留和勸說（他們說航船裏是很苦的），毅然決然的於下午六時左右下了船。有了「物質文明」的汽油船，却又有「精神文明」的航船，使我們徘徊其間，左右顧而樂之，眞是二十世紀中國人的幸福了！

航船中的乘客大都是小商人；兩個軍弁是例外。滿船沒有一個士大夫；我區區或者可充個數兒，——因為我曾讀過幾年書，又忝為大夫之後——但也是例外之例外！眞的，那班士大夫到那裏去了呢？這不消說得，都到了輪船裏去了！士大夫雖也擎着大旗擁護精神文明，但千慮不免一失，竟為那物質文明的孫兒，滿身洋油氣的小頑意兒騙得定定的，忍心害理的撇了那老相好。於是航船雖然照常行駛，而光彩已減少許多！這確是一件可以慨嘆的事；而「國粹將亡」的呼聲，似也不是徒然的了。嗚呼，是誰之咎歟？

既然來到這「精神文明」的航船裏，正可將船裏的精神文明考察一番，才不虛此一行。但從那裏下手呢？這可有些爲難。躊躇之間，恰好來了一個女人。——我說「來了」，彷彿親眼看見，而孰知不然；我知道她「來了」，是在聽見她尖銳的語音的時候。至於她的面貌，我至今還沒有看見呢。這第一要怪我的近視眼，第二要怪那襲人的暮色，第三要怪——哼——要怪那「男女分坐」的精神文明了。女人坐在前面，男人坐在後面；那女人離我至少有兩丈遠，所以便不可見其臉了。且慢，這樣左怪右怪，「其詞若有憾焉」，你們或者猜想那女人怎樣美呢。而孰知又大大的不然！我也曾「約略的」看來，都是鄉下的黃面婆而已。至於尖銳的語音，那是少年的婦女所常有的，倒也不足爲奇。然而這一次，那來了的女人的尖銳的語音竟致勞動區區的特筆者，却又另有緣故。在那語音裏，表示出對於航船裏精神文明的抗議；她說，「男人女人都是人！」她要坐到後面來，(因前面太擠，實無他故，合幷聲明，)而航船裏的「規矩」是不許的。船家攔住她，她仗着她不是姑娘了，便老了臉皮，大着胆子，慢慢的說了那句話。她隨即坐在原處，而「批評家」的議論繁然了。一個船家在船沿上走着，隨便的說，「男人女人都是人，是的，不錯。做秤鈎的也是鐵，做秤錘的也是鐵，做鐵錨的也是鐵，都是鐵呀！」這一段批評大約十分巧妙，說出諸位「批評家」所要說的，於是衆喙都息，這便成了定論。至於那女人，事實上早已坐下了；「孤掌難鳴」，或者她飽飫了諸位「批評家」的宏論，也不要鳴了罷。「是非之心」，雖然「人皆有之」，而撑船經商者流，對於名敎之大防，竟能剖辨得這樣「詳明」，也着實虧他們了。中國畢竟是禮義之邦，文明之古國呀！——我悔不該亂怪那「男女分坐」的精神文明了！

「禍不單行」，湊巧又來了一個女人。她是帶着男人來的。——呀，帶着男人！正是；所以才「禍不單行」呀！——說得滿口好紹興的杭州話，在黑暗裏隱隱露着一張白臉；帶着五六分城市氣。船家照他們的「規矩」，要將這一對兒生刺刺的分開；男人不好意思做聲，女的却搶着說，「我們是『一堆生』(二)的！」太親熱的字眼，竟在「規規矩矩的」航船裏說了！於是船家命令的嚶道：「我們有我們的規矩，不管你『一堆生』不『一堆生』的！」大家都微笑了。有的沈吟的說：「一堆生的？」有的驚奇的說：「一『堆』生的！」有的嘲諷的說：「哼，一堆生的！」在這四面楚歌裏，憑你怎樣伶牙俐齒，也只得服從了！「婦者，服也」，這原是她的本行呀。只看她毫不置辯，毫不懊惱，還是若無其事的和人攀談，便知她確乎是「服也」了。這不能不感謝船家和乘客諸公「衞道」之功；而論功行賞，船家尤當首屈一指。嗚呼，可以風矣！

在黑暗裏征服了兩個女人。這正是我們的光榮；而航船中的精神文明，也粲然可見了——於是乎書。

五　三

(1)「一塊兒」也。

第二輯

航船中的文明

中華民國十三年十二月出版

蹤跡（全）

每冊定價大洋四角
外埠酌加郵費

著者 朱自清

印刷兼發行者 亞東圖書館
上海五馬路棋盤街西首

發行者 亞東圖書館

分售處 各省各大書店

新十詩種集

嘗試集……胡適著……定價四角五分

草兒在前集……康洪章著……定價五角五分

河上集……康洪章著……定價二角五分

冬夜……俞平伯著……定價六角

西還……俞平伯著……定價六角五分

蕙的風……汪靜之著……定價五角

渡河……陸志韋著……定價四角五分

流雲……宗白華著……定價二角五分

胡思永的遺詩……定價三角五分

一九一九年新詩年選……北社編……定價五角

上海亞東圖書館發行

白話文的模範
新智識的淵泉

胡適文存
洋裝兩冊……定價二元八角
平裝四冊……定價二元二角

獨秀文存
洋裝兩冊……定價二元七角
平裝四冊……定價二元一角

吳虞文錄
胡適之先生序
全一冊　定價大洋三角五分

上海
亞東圖書館印行

THE ORIENTAL BOOK COMPANY

上海亞東圖書館

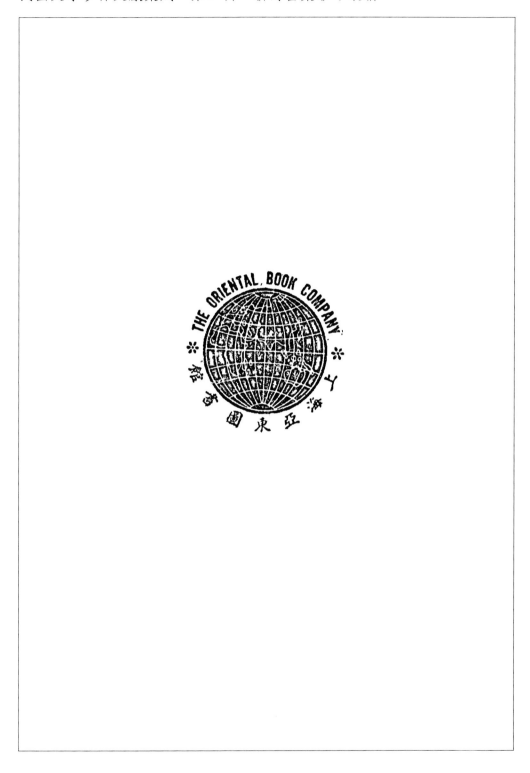